Kwispelstaartjes
Een krokodil in de heg

VOOR KINDEREN DIE VAN DIEREN HOUDEN

Carry Slee & Dagmar Stam

EEN KROKODIL IN DE HEG

In de serie *Kwispelstaartjes* zijn verschenen:
Piep, zei de muis
De konijnenkeuteldropfabriek
Een krokodil in de heg
De knorreborreboerderij
Giechelvisjes

www.carryslee.nl

Eerste druk 1998
Tiende druk 2006

ISBN 90 449 2159 0
NUR 281

Tekst © 1998 Carry Slee
Illustraties © 1998 Dagmar Stam
© 2006 Carry Slee en Pimento, Amsterdam
Vormgeving Petra Gerritsen
Idee en research Elles van den Berg

Carry Slee is een imprint van Foreign Media Books bv,
onderdeel van Foreign Media Group

INHOUD

DE DIERENTUIN

Eefje zit met Boef in de tuin. Ze heeft haar handen gevouwen alsof er een sneeuwbal tussen zit. Maar dat kan niet, want het is zomer en in de zomer ligt er geen sneeuw.
'Jij moet raden wat ik heb,' zegt Eefje.
Mark kijkt naar Eefjes handen. 'Een steentje.'
'Mis!'
'Eh… een bloemetje.'
'Weer mis,' zegt Eefje. 'Je mag nog één keer raden.'
Mark denkt diep na. 'Ik weet het al, een koekje.'
'Haha… je kan het niet eten. Of ben je soms een vogel geworden? Alleen vogels eten lieveheersbeestjes.' Eefje schrikt. Nu heeft ze het verklapt.
Dan komt mama aanlopen. Eefje doet haar handen open.
'Kijk, dit lieveheersbeestje is zeven jaar, want hij heeft zeven stippen.'
'Dat is niet zo,' zegt mama. 'Toen hij geboren werd, had hij al zeven stippen. En er komt nooit een stip bij.'
'Het is wel een geluksbeestje. Boef zag hem het eerst.' Eefje wijst naar de appelboom. 'Hij zat op die tak daar. En toen

7

Boef dichterbij kwam, viel hij op de grond.'

'Dan was hij bang voor Boef,' zegt mama. 'Dat doet hij ook als er een vogeltje aankomt. Dan laat hij zich vallen en doet net alsof hij dood is. Weten jullie wat hij doet als die vogel toch dichterbij komt?'

'Hij springt overeind en roept heel hard BOEOEOE…' zegt Mark. 'En dan vliegt die vogel van schrik weg.'

Mama lacht. 'Hij roept geen boe, maar hij jaagt de vogel wel weg. Hij spuit geel vocht dat heel erg stinkt.'

'Wat een goeie mop,' zegt Eefje. 'Dan denkt die vogel: Gadsie, die stinkerd eet ik niet op, hoor.'

'Slim van hem, hè?' zegt mama.

'Jij bent lekker van mij,' zegt Eefje als mama weg is. En ze doet haar hand weer dicht.

'Hij is ook van mij,' zegt Mark. Maar Eefje schudt haar hoofd. 'Boef heeft hem voor mij gevonden, dus…'

Mark vindt het niet eerlijk. 'Dan moet Boef voor mij ook een diertje zoeken, anders heb ik niks.'

'Hup Boef,' spoort Eefje de hond aan. 'Zoek een diertje voor Mark. Zoek… zoek…'

Boef huppelt door de tuin, pakt een afgebroken tak en legt hem voor Mark neer.

'Domme Boef, dat is toch geen diertje, dat is een tak.' En Mark gooit de tak weg.

Boef pakt de tak en begraaft hem. 'Nee, we doen geen spelletje,' zegt Eefje. 'Je moet een diertje zoeken.' Maar dan zien ze

dat er op de plek waar Boef graaft een regenwurm omhoog
piept.
'Die is voor jou!' Eefje wijst naar de wurm.
Nu wordt Mark boos. 'Gemenerik. Jij hebt lekker een lieve-
heersbeestje en dan mag ik zeker die dikke poepwurm.'
'Opa is altijd heel blij met regenwurmen,' zegt Eefje. 'Die eten
gangetjes in de grond.'
'Bah!' Mark trekt een vies gezicht.
Eefje kijkt naar haar lieveheersbeestje en dan naar de wurm.
'Ik weet wat, we speelden dierentuintje.' Ze zet haar lieve-
heersbeestje onder de struiken. 'Ik maak een hek van takjes,
dat was zijn hok.'
'Ja, dan maak ik een hek om de wurm.' Mark pakt een handje
steentjes en legt ze om de wurm heen.

9

Tegen de muur van het huis ziet hij een grotere steen liggen.
Mark rent ernaartoe en als hij de steen opraapt,
kruipt er een rond grijsbruin diertje onder-
uit. Eefje heeft zo'n diertje wel vaker gezien
bij opa en oma in de kelder.
'Dat is een pissebed, die mag
ook in onze dierentuin.'
En Eefje schuift het
beestje al met een
stokje op een blaadje.
'Een pissebed?' vraagt Mark. 'Piest die echt in zijn bed?'
'Natuurlijk niet,' lacht Eefje. 'Zo heet hij gewoon.'

Mark kijkt
griezelend naar
de zes pootjes
die over het
blad dribbelen.
'Die pieskont
mag niet mee-
doen, ik vind
die pootjes eng.'
'Daarom moest
hij juist in onze dierentuin,' zegt Eefje. 'In een echte dierentuin wonen toch ook enge beesten.'
Daar heeft Eefje gelijk in. 'Maar ik maak geen hekje om die
enge pisser,' zegt Mark. 'Dat moet jij doen.'

10

'Niks engs aan.' En Eefje pakt een paar takjes. 'Ziezo, onze dierentuin is klaar. Ik was moeder en jij was vader. Eerst mogen Ollie en Flap kijken en dan de andere knuffels.'
'En wie was Boef dan?' wil Mark weten.
'Boef was de baas van de dierentuin.' Eefje aait hond Boef over haar kopje. 'Jij moet de kaartjes verkopen en je moet ook voor de dieren zorgen.'
'Jaa!' Achter zijn zus aan rent Mark naar binnen.

Je kan wel zien dat Ollie en Flap uitgaan, ze zien er zo feestelijk uit. En Mark en Eefje lijken ook een echte papa en mama. Mama Eefje heeft een hoed op en papa Mark een pijp in zijn mond. In hun hand houden ze een portemonnee. Er zit geen geld in, maar hondenkoekjes. Daar moeten ze de baas van de dierentuin mee betalen, anders mogen ze niet naar de dieren kijken.
Het is wel een grappige baas. Ze huppelt voor de bezoekers uit en trapt bijna op haar eigen dierentuin.
'Alsjeblieft!' Papa Mark en mama Eefje geven de baas van de dierentuin een koekje. Die schrokt het meteen op.
'Zo, betaald.' En ze lopen door.
'Kijk eens Ollie en Flap,' zegt papa Mark. 'Dit is de dierentuin. We gaan naar mooie dieren kijken en ook naar heel enge.'
Ollie wijst naar het lieveheersbeestje. 'O papa, wat een mooie rode paddestoel.'
'Dat is geen paddestoel, het is een diertje,' zegt papa Mark. 'We

11

zijn in de dierentuin, toch niet in de paddestoelentuin.'
Als ze uitgekeken zijn, tilt papa Mark Ollie op. 'Nou gaan we naar de regenjaswurm.'
'Hahaha… Hij heet geen regenjaswurm, maar een regen-wurm,' lacht mama Eefje.
Met zijn viertjes kijken ze naar de dikke wurm die van de aarde knabbelt.
'Luister.' Papa Mark trekt een gewichtig gezicht. 'Nu gaan we naar een dier met de gekste naam van de wereld.'
'O, dan weet ik al hoe hij heet,' zegt Eefje. 'Hij heet zeker Mark stijve hark.'
'Stommerd!' Papa Mark vindt het geen leuk grapje. 'Ik ben geen hark. Weten jullie hoe dat enge beest heet?' Mark wijst naar het hok. 'Pissebroek.'
'Hahaha… pissebroek.' Eefje rolt zowat om van het lachen.
'Hij heet pissebed.' Dan schrikt ze. In een hoekje van het hok zit nog een beestje. Het is glimmend bruin en heeft lange sprieten op zijn hoofd, en aan zijn achterlijf zit een soort tang. Eefje kent dit beestje wel.
'Daar zit een oorkruiper,' fluistert ze.
Papa Mark en mama Eefje zijn wel erg bang. Ze durven zich amper te bewegen. Ze moeten er niet aan denken dat die enge oorkruiper naar hen toe komt.
'Help!' De oorkruiper vliegt op en gaat op het hek zitten.
Papa en mama laten hun kinderen vallen en rennen gillend weg. En de baas van de dierentuin rent met papa en mama

mee. Vanachter de boom gluren ze naar de dierentuin.
'Waar is hij gebleven?' Mark voelt aan zijn oren. 'Die engerd is in mijn oor gekropen.'
'Mama!' Ze rennen de keuken in. 'Er zit een oorkruiper in mijn oor,' zegt Mark.
'Nee, hij zit in mijn oor,' jammert Eefje. 'Hij kriebelt heel erg.'
'Dat kan niet, oorkruipers kruipen niet in oren. Dat denken jullie maar, omdat de mensen zo'n malle naam voor hem hebben verzonnen.' Om hen gerust te stellen kijkt mama hun oren na, maar er zit niks.
Toch durven Eefje en Mark hun knuffels niet uit de dieren-

tuin te halen. 'Jij moet mee.' Mark pakt mama's hand.
'Daar zit hij!' Eefje wijst naar het hek. Ze doen meteen hun
handen voor hun oren.
'Wat zijn ze bang voor je, hè?' Mama pakt de oorkruiper en
zet hem tegen een boom. Pas als hij in de schors verdwijnt,
durven de kinderen dichterbij te komen.
'Nou mag je onze dierentuin zien, mama, maar eerst moet je
een kaartje bij Boef kopen.' Mark haalt een hondenkoekje uit
zijn portemonnee.
Mama legt het op haar hand en… hap, weg is het. Mark en
Eefje lopen met mama door de dierentuin. Met verbaasde
gezichten kijken ze in de hokken. Die zijn allemaal leeg!

'Ze hebben onze dieren gepikt,' zegt Eefje. 'Hier woonde een wurm en hier een pissebed en hier een lieveheersbeestje.'

'Wat denken jullie nou?' vraagt mama. 'Dat die diertjes wachten tot een vogel ze opeet? Het lieveheersbeestje is allang weggevlogen. En de wurm zit alweer onder de grond. En de pissebed is onder een steen gekropen.'

'Hij heeft wel een malle naam,' lacht Mark.

'Hij doet ook malle dingen,' zegt mama. 'Hij eet rotte beschimmelde plantenrestjes. En hij ademt niet door zijn mond, maar door zijn achterpoten.'

'Door zijn achterpoten?' Zoiets geks hebben Eefje en Mark nog nooit gehoord. Wie ademt er nou door zijn achterpoten. Jammer genoeg kunnen ze die mallerd niet meer zien. De hele dierentuin is leeg, alleen Boef de baas is er nog. Die hoopt dat er nog veel meer bezoekers komen, dan krijgt ze weer een koekje. Mark en Eefje waren van plan met de andere knuffels ook naar de dierentuin te gaan, maar ze zijn niet gek; voor een dierentuin zonder dieren gaan ze niet betalen.

FEEST IN DE HEG

Bij Eefje, Mark en Boef in de tuin is nog een familie komen
wonen, in de heg naast de schuur. De familie merel. De kinderen vinden het heel gezellig, want elke morgen als ze wakker
worden, zit vader merel onder hun raam te fluiten.
In het begin vlogen vader en moeder merel steeds de heg in
met takjes in hun snavel en grassprietjes en stukjes mos. Een
tijdje later kwamen ze er dan met lege snavels weer uit. Op
een dag zagen ze moeder merel niet meer. Alleen vader zat op
het dak van de schuur. Mark was bang dat ze ruzie hadden en
Eefje dacht aan nog iets veel ergers. Dat een poes moeder
merel had opgegeten. Maar mama stelde hen gerust. 'Moeder
merel heeft geen tijd meer om in het zonnetje op het dak te
zitten. Het nest is klaar, ze heeft eieren gelegd.'
'Ik weet het al,' zei Eefje. 'Ze zit te broeden en dan krijgen wij
lekker kleine vogeltjes in de tuin.' Van blijdschap dansten
Mark en Eefje door het gras.
Ze wachten nu al twee weken op de jonge vogeltjes. Af en toe
gaan ze met Boef bij de heg zitten en bedenken naampjes voor
ze. Maar zodra poes Snoetje eraan komt, houden ze hun

16

lippen stijf op elkaar, want die mag niet weten dat er een vogelnestje in de heg zit. Ze hebben iets bedacht om Snoetje bij de heg vandaan te houden.

'Nee hoor, er zit geen vogelnestje in de heg,' zegt Mark steeds als Snoetje langsloopt.

'Nee,' zegt Eefje dan. 'In de heg zit een krokodil en als je in zijn buurt komt, bijt hij in je bil.'

En dat heeft geholpen, want Snoetje heeft het nest nog steeds niet ontdekt.

Het duurt wel lang voordat de vogeltjes uit het ei komen.

Vanochtend hebben Eefje en Mark hun oor nog tegen de heg gehouden, maar het was muisstil in het nest.

Als ze uit school komen, wijst Eefje naar de grond onder de heg. 'Wat is dat nou?' Voorzichtig komen ze dichterbij en dan schrikken ze. Er ligt een blauw-groenige eierschaal met bruine stipjes. Met de lege eierschaal rennen ze naar binnen. 'Mama, kijk eens wat erg! Er is een ei uit het nest gevallen en iemand heeft het vogeltje eruit gepikt.'

'Ik denk dat er juist iets heel vrolijks is gebeurd in het nest,' zegt mama. 'Er is een vogeltje uit het ei gekropen en moeder merel heeft de eierschaal naar buiten gegooid, zodat haar kindje zich geen pijn kan doen aan die scherpe rand.'

'Hoera! We hebben kleine vogeltjes!' Ze rennen naar de heg.

'Zachtjes,' waarschuwt mama. 'Anders maken jullie ze aan het schrikken.'

Eefje en Mark leggen hun oor tegen de heg en… piep-piep-piep klinkt het. Boef hoort de vogeltjes ook. Ze houdt haar kop schuin en kwispelt vrolijk met haar staart.

'Ollie en Flap moeten het ook weten!' Met zijn drietjes rennen ze de trap op.

'Hartelijk gefeliciteerd met de kleine vogeltjes!' Ze geven hun knuffel een zoen.

'We gaan feestvieren,' zegt Eefje. 'We maken beschuit met muisjes.'

'Ja, en we versieren de heg met slingers.' Mark wil al papier pakken, maar dat mag niet van Eefje. 'Snoetje mag niet weten dat er feest in de heg is, want dan vindt hij ons nestje. We vierden stiekem feest.'

Dat vindt Mark helemaal spannend. Ze rennen met hun knuffels de tuin in en zetten Ollie en Flap in de zandbak.

'Jij moest zandbolletjes maken en dan maakte ik er beschuitjes van. Heel goed, Boef,' zegt Eefje als Boef begint te graven. 'Nou kunnen wij zand uit jouw kuil halen.'

'Pas op!' Mark wijst naar Snoetje die op de rand van de zandbak springt. 'Hij mag niet weten dat het feest is.'

'Hij moet denken dat het vandaag een heel stomme dag is,' fluistert Eefje. En ze doet net of ze bijna moet huilen. 'O vader, wat moeten we nou? Ollie en Flap hebben heel erge honger en we hebben helemaal geen geld.'

'We hebben niks meer te eten, moeder,' speelt Mark mee.
'Alleen zandtaartjes met gebakken drolletjes,' verzint Eefje.
Zandtaartjes met gebakken drolletjes… Hoe komt Eefje daar
nou weer bij? Mark schiet bijna in de lach, maar Eefje speelt
gauw door.
'Vies hè, maar het moet. Kijk eens, Snoetje, wil je soms ook
een zandtaartje met gebakken drolletjes?'
Daar heeft Snoetje geen trek in, hij gaat er gauw vandoor.
'Goed gelukt, hè?' Eefje en Mark kijken hun poes grinnikend
na. Eefje wil de beschuitjes net gaan kneden als mama naar
buiten komt. 'Ik ga even een boodschap doen, willen jullie
mee?'
'Hè nee,' zegt Eefje. 'We zijn net aan ons feest begonnen.'
'Goed dan,' zegt mama. 'Ik ben zo terug.'
Mama is al een paar minuten weg als Eefje ineens een gil
geeft.
'Wat is er?' vraagt Mark.
Eefje wijst naar de schuur. Nu ziet Mark het ook. Snoetje zit
boven op het dakje. Hij houdt zijn kopje schuin en luistert.
Hij heeft de kleine vogeltjes gehoord. Ze zien hoe hij voor-
overbuigt en zijn poot uitsteekt. Hij kan bijna bij het nest…
Eefje en Mark rennen naar binnen. 'Mama, kom gauw!
Snoetje wil de kleine vogeltjes doodmaken!' Maar mama geeft
geen antwoord.
'Mama, kom dan!' roept Mark. Als het stil blijft, weten ze
ineens weer dat mama niet thuis is.

Mark en Eefje stormen naar buiten. Snoetje zit nog steeds op het dak. Hij hangt verder naar voren en zijn pootje is nóg dichter bij het nest.

'Rotpoes!' roept Mark kwaad. Maar Snoetje trekt zich niks van het gescheld aan.

'Vlug, we moeten hem wegjagen.' Eefje haalt de bezem uit de schuur. 'Weg jij!' Ze duwt de bezem omhoog, maar Snoetje is niet bang. Ook niet voor Boef die boos naar hem blaft. Hij gaat alleen een stapje achteruit.

'Mama moet komen!' Mark begint bijna te huilen. Gelukkig heeft Eefje nog een idee. Ze holt de keuken in en grist de plantenspuit van de vensterbank.

'Stomme poes.' Eefje probeert Snoetje nat te spuiten, maar de plantenspuit is leeg en Snoetje zit er nog steeds.

21

'Help!' Geschrokken kijken ze naar de heg. Er steekt een gele snavel uit, die is van vader merel.

'Blijf binnen, vader merel,' zegt Eefje. 'Snoetje zit op het dak en die wil je vangen. En dan maakt hij je dood.'

Alleen al bij de gedachte krijgt Mark tranen in zijn ogen. 'Dan hebben die lieve vogeltjes geen papa meer…'

Angstig kijken ze naar vader merel die op het punt staat uit het nest te vliegen, terwijl Snoetje klaar zit om hem te grijpen.

'Vader merel, kijk dan naar het dakje!' roept Eefje.

Maar vader merel heeft het veel te druk om op Snoetje te letten, die moet wurpjes zoeken voor zijn kleintjes. Hij vliegt het nest uit. Snoetje buigt nog verder voorover en slaat zijn poot naar vader merel uit. Mark en Eefje doen hun handen voor hun ogen. Ze horen gefladder en dan… PLOF! Er valt iets op de grond. Dat moet vader merel zijn. Als hij maar niet dood is…

Eefje en Mark gluren tussen de spleetjes van hun vingers naar de grond. En dan zien ze dat de plof niet door vader merel komt, maar dat Snoetje van het dakje is gekukeld. Voordat hij er weer op kan klimmen, grijpt Eefje hem vast. 'Stouterd! Je mag niet meer op het dak.'

'Maar Snoetje mag nog wel in de tuin,' zegt Mark. 'Anders vind ik het zielig.'

'Hij moet aan de riem,' bedenkt Eefje. 'En als hij naar de vogels loert, trekken we hem gauw weg.'

Terwijl Eefje Snoetje vasthoudt, pakt Mark Boefs riem.

'Zo, nu kun jij geen vogeltjes meer doodmaken.' Eefje maakt de riem aan Snoetjes halsband vast. Ze loopt met Snoetje door de tuin als mama in het hek staat.

'Wat is hier aan de hand?'

'Snoetje moet aan de riem,' zegt Mark. 'Hij wil de vogels opeten.'

'Hij zat op het dak,' zegt Eefje.

Mama maakt de riem los en tilt Snoetje op. 'Ik begrijp best dat jullie heel erg geschrokken zijn. Maar Snoetje kan er niks aan doen, hij is een poes en poezen jagen nu eenmaal.'

'Maar hij mag onze merels niet opeten,' zegt Mark.

'Nee, dat mag zeker niet. Hoe moeten we dit nu oplossen?' Mama duwt haar vingers tegen haar voorhoofd. Dat doet ze altijd als ze nadenkt. 'Wacht…' Haar ogen beginnen te glimmen. 'In de schuur ligt nog een stuk prikkeldraad, dat spijker ik op het dakje. Dan kan Snoetje niet meer bij het nest.'

Eefje en Mark zijn niet gerust. 'En als vader en moeder merel op de grond wurmpjes zoeken, dan pakt hij ze toch.'

'Ik denk dat ik daar ook iets voor heb.' Mama haalt een belletje uit de naaidoos. 'Dit hangen we aan

Snoetjes halsband, dan horen de vogels hem aankomen en vliegen ze weg.'

Snoetje vindt dat gerinkel helemaal niet leuk, maar Eefje en Mark hebben geen medelijden met hem. Nu kunnen vader en moeder merel tenminste rustig voor hun kleintjes zorgen. Tingelingeling... Met de bel om zijn hals stapt Snoetje door de tuin. Eefje en Mark kijken naar de vogels. Er zitten twee koolmeesjes bij de plantenbak en een spreeuw op het hek. Als ze Snoetje horen, vliegen ze gauw weg.

Nu zijn Eefje en Mark tevreden. Mark gaat bij de heg staan. 'Snoetje kan jullie niet meer opeten, hè, lieve vogeltjes?' Mark legt zijn oor tegen de heg en... HAP. Van schrik schiet Mark een meter de lucht in. 'Wie bijt er in mijn bil?'

'De krokodil natuurlijk,' zegt Eefje. 'Er zit toch een krokodil in de heg, of was je dat soms vergeten?'

'Nee, dat was ik helemaal niet vergeten,' lacht Mark. 'Die krokodil bijt jou ook in je bil.'

'Hellepie!' Eefje rent gauw weg, maar Mark rent achter zijn zus aan. HAPHAPHAPHAP...

MIERENNEST

Het is mooi weer vandaag. Eefje en Mark maken voor Boef
met stoepkrijt een tekening op de tegels in de tuin.

'Moet je nou zien!' Mark wijst naar een groepje mieren dat
een dode vlieg draagt.

'Knap van die kleine miertjes, hè?' zegt mama. 'Dat ze zo'n
grote vlieg kunnen tillen en ze brengen hem helemaal naar
huis.'

'Ik weet waar ze wonen. Daar, in dat gaatje tussen de tegels.'
Mark legt zijn vinger erop.

'Dat is de deur,' zegt Eefje. 'Het nest zit onder de grond.'

'En wat is dit dan voor gaatje?' vraagt Mark. 'Daar komen
toch ook mieren uit.'

'Dat is nog een deur. Wij hebben toch ook een voordeur en
een achterdeur? En onder die deuren lopen allemaal gangetjes
onder de grond, hè mam? En ze hebben ook kamertjes. Daar
wonen heel veel mieren, dat heeft juf verteld.'

Mark legt zijn oor op het gaatje. 'Hallo hallo mieren, is er
iemand thuis? Stelletje luilakken,' zegt Mark als hij geen
antwoord krijgt. 'Zitten jullie daar soms te slapen?'

25

'Mieren maken geen geluid.' Mama zet twee vingers op haar hoofd. 'Ze praten met hun voelsprieten. En het zijn beslist geen luilakken. Het zijn juist harde werkers. Er moet een heleboel gebeuren. Eten zoeken, gangetjes graven, de eieren en de baby's verzorgen.'

'En de koningin verzorgen,' zegt Eefje.

'Hebben ze een echte koningin?' Mark kan het bijna niet geloven.

'Ja,' zegt Eefje. 'Maar ze heeft geen kroontje op. De koningin zit hier onder de grond, in het mooiste kamertje en ze krijgt het lekkerste eten.'

'Zeker die dikke vlieg.' Mark trekt een vies gezicht. 'Gadsie, ik wou nooit mierenkoningin zijn. En ze krijgt zeker ook heel vies drinken.'

'Nee, juist heel lekker appelsap.' Eefje houdt haar beker schuin en giet wat appelsap op de tegels.

'Dat hoef je niet te doen,' zegt mama. 'Als de mieren dorst hebben, halen ze sap uit de bloemen. Of ze kruipen in de boom en dan gaan ze melken.'

'Melken? Hoe kan dat nou weer? Er zitten toch geen koeien in de boom?'

'Nee, maar wel luizen. Die hebben heerlijk zoet sap en dat halen de mieren eruit. O jee.' Mama houdt haar hand op. 'Het begint te regenen, jongens, we gaan naar binnen.'

Mark klapt in zijn handen. 'Miertjes, jullie moeten naar binnen anders worden jullie nat.'

'Ik was een mier,' zegt Eefje. 'Ik ging gauw naar binnen.'

'Ik ook,' zegt Mark. 'En Boef was de mierenkoningin.'

'Ja, die mocht in het mooiste kamertje en dat is ons kamertje.' En Eefje sjouwt Boefs mand naar boven. 'Alstublieft, majesteit, dit is uw troon.'

'Wij hadden het heel druk,' zegt Mark. 'Wij moesten alles doen.'

'Dat kan nooit,' zegt Eefje. 'Eten zoeken, gangen graven, de eieren en de koningin verzorgen, dat is veel te veel.'

'Dan doen we dat er een heleboel mieren waren,' bedenkt Mark. 'Net als in de tuin.'

'Ja, de knuffels waren allemaal mieren. Jullie gaan een gangetje graven.' En Eefje zet drie knuffels op de gang. Daarna pakken ze een paar knuffels die de baby's moeten verzorgen

27

en die brengen ze naar zolder want daar staat de wieg.

'En deze twee moeten voor de koningin zorgen.' Mark zet Egel en Kikker bij Boefs mand.

'En de koningin had heel erge dorst. Jullie moesten melken.' Eefje hangt Muis en Beer in de plant.

'Ollie en Flap waren toch ook mieren,' zegt Mark. 'Wat moeten die dan doen?'

Eefje denkt na en ineens weet ze nog iets. 'De eieren verzorgen. Ik weet waar de eieren zijn.' Eefje rent met Ollie en Flap de trap af en zet ze in de koelkast naast de eieren.

Mark schrikt als Eefje bovenkomt. 'We zijn onszelf vergeten.'

'Wij moesten eten zoeken, goed?' Eefje gaat voor de troon staan en buigt diep voor mierenkoningin Boef. 'Dag majesteit, u heeft zeker honger, hè?'

De koningin geeft mier Eefje een lik over haar gezicht. 'De koningin heeft heel erge honger,' zegt Mark de mier. 'Ze denkt dat jij een zuurstok bent. Kom, we gaan gauw.'

'Zoek zoek zoek.' Ze zetten hun vingers als voelsprieten op hun hoofd en gaan de trap af. 'Zoek zoek zoek…' Ze sluipen de keuken in. 'We gaan iets heel lekkers voor de koningin zoeken.'

'Een appel,' zegt Mark de mier.

'Nee, nog iets lekkerders.'

'Rozijntjes dan?' Maar dat vindt mier Eefje nog niet lekker genoeg. 'Het moet nog lekkerder zijn.' En ze sluipt met haar voelsprieten naar de koektrommel. Ze kijken of de kust veilig is. En als ze zien dat mama in de kamer zit te lezen, dragen ze de trommel samen naar boven.

'Kijk eens wat voor lekkers we hebben, koningin?' zegt mier Eefje. Ze doet de trommel open en haalt er een koekje uit. Hmmm… de koningin heeft wel erge honger, zeg. Ze eet het koekje in één hap op.

'Ik ga met de koningin praten.' Mier Eefje duwt haar voelsprieten tegen de oren van de koningin.

'Wat zegt ze?' vraagt Mark de mier.

'Ze wil dat wij ook een koekje nemen.'

Marks ogen beginnen te stralen. 'Dan moet het, want de koningin is de baas.' En ze pakken een koekje en smikkelen het heerlijk op.

'Nou gingen we nog iets te eten halen,' zegt Mark.

'Ja,' zegt Eefje. 'En toen werd het heel spannend. Toen we in de keuken waren kwam er een mens aan en die wilde ons dood-trappen en toen vluchtten we gauw ons nest in.'

'Dat doen we!' Mark de mier staat al bij de deur.

Opnieuw sluipen ze de trap af, de keuken in.

'Ik hoor voetstappen…' waarschuwt Eefje. 'Hellepie!' En ze rennen de trap op.

'Het was heel eng, koningin,' zeggen ze. 'We konden niks pikken.'

Nu houdt Mark de mier zijn voelsprieten bij de oren van de koningin.

'Wat zegt de koningin?' wil mier Eefje weten.

'Dat we nog maar een koekje moeten nemen voor de schrik.'

Eefje heeft de koektrommel al te pakken. Als ze erin kijkt wordt ze knalrood. De koektrommel is helemaal leeg. Hoe kan dat nou? Koekjes hebben toch geen pootjes? Ze turen het kamertje door en dan ontdekken ze wie de dief is. De mieren-koningin. Haar troon ligt vol kruimels.

'Stoute koningin,' zegt Eefje. 'Je hebt alle koekjes gepikt. Nou krijgen wij van mama op ons kop.'

Ze stoppen met hun spel en vertellen mama wat er is gebeurd. Gelukkig is mama niet boos als ze het hoort.

'Het zonnetje schijnt weer, jongens. We moeten die stoute mierenkoningin maar even uitlaten.'

De mierenkoningin is heel blij en rent naar de deur.

'Ik was geen mier meer,' zegt Mark als ze thuiskomen.
'Ik ook niet.' Eefje pakt de kist met lego en begint te bouwen.
Ze zijn hun spel alweer vergeten als papa thuiskomt.
Hij loopt meteen door naar de keuken. 'Ik heb zo'n trek, is er
nog iets lekkers in huis?'
'Ik lust ook wel wat,' zegt mama. 'Kijk maar in de koelkast,
daar ligt vast nog wel een stukje worst of kaas.'
Papa doet de koelkast open en dan ziet hij Ollie en Flap naast
de eieren zitten.
'En? Kun je iets vinden?' vraagt mama.
'Ja, hier zijn twee heel lekkere dingen. Jij mag kiezen wat je het
liefste wil: een stukje olifant of een stukje konijn.' En papa
houdt de knuffels omhoog.

MILJOEN TRILJOEN BESJES

Mark en Eefje lopen van school naar huis, in hun blote buik.
Hun T-shirts hebben ze in hun rugtas gepropt.
Eefje doet het tuinhek open. 'Ik trek meteen mijn badpak
aan.'
'Ik trek ook mijn badpak aan,' zegt Mark.
'Haha…' lacht Eefje. 'Jongens hebben geen badpak, die
hebben een zwembroek. Mama!' Ze rent de keuken in. 'Mag er
water in ons zwembadje?'
'Nee, jongens,' zegt mama, 'daar is geen tijd voor. Vanmiddag
moeten we weg.'
'Nee hè?' Dat waren Eefje en Mark helemaal vergeten. Mama
heeft een vergadering en nu moeten ze mee, omdat Marlon de
oppas op vakantie is.
Eefje gooit haar rugtas op de grond. 'Ik wil niet mee, ik wil
thuisblijven.'
'Ik ook,' zegt Mark.
Mama zucht. 'Beginnen jullie er nou niet weer over. We
hebben het er vanochtend al uitgebreid over gehad. Ik kan
jullie niet alleen laten.'

'Buurvrouw Smit kan toch op ons passen,' zegt Eefje.

'O nee,' zegt mama beslist. 'Ik ga de buurvrouw niet lastigvallen.'

Eefje snapt er niks van. 'En toen Mark waterpokken had, kwam ze toch ook?'

'Toen was Mark ziek, dat is iets anders.'

'En dan moeten wij zeker in die hete stikauto.' Mark krijgt het al warm bij de gedachte.

'Ik weet zeker dat ik flauwval van de hitte. Stom!' Eefje is nog niet van plan het op te geven. 'Ik vind het daar stom bij al die saaie grote mensen.'

'En nu houden jullie erover op.' Mama's stem klinkt streng. 'Over een half uurtje gaan we weg.'

Mark en Eefje kijken elkaar aan. Ze zullen echt mee moeten,
er zit niks anders op.
'Maar dan wil ik nu wel mijn badpak aan,' zegt Eefje.
'En ik mijn zwembroek,' zegt Mark.
Dat mag gelukkig van mama. En ze krijgen ook een ijslolly.
'De papiertjes in de vuilnisbak gooien, jongens,' waarschuwt
mama. 'En voorzichtig met die ijsjes, daar komen wespen op
af.'
'Ik zie er al een.' Mark wijst naar de picknicktafel. 'Daar!' Eefje
en Mark zijn niet bang voor wespen. Ze weten allang dat
wespen niets doen. Die steken alleen als ze bang zijn.
Eefje wijst naar Marks hoofd. Er zit een wesp op, maar Mark
blijft gewoon zitten. Boef is wel kwaad op de wesp. Zodra hij
wegvliegt rent Boef achter de wesp aan en hapt ernaar.

'Pas op!' Mark schrikt. 'Domme Boef, dat moet je niet doen. Zo meteen steekt die wesp in je neus, of in je lip en dat doet heel zeer. '

'Ik weet al waarom jij zo boos doet.' Eefje aait Boef over haar rug. 'Jij denkt dat het de wespenkoningin is en die mag hier niet wonen, hè, want dan gaat ze een nest bouwen in de schuur en dan legt ze een heleboel eitjes in het nest.'

'Juist leuk,' zegt Mark. 'Dan krijgen we kleine wespjes.'

'Noem jij dat leuk? Opa had een keer een wespenkoningin in de schuur. En toen durfde hij geen hap meer van zijn broodje te eten, zoveel wespen zaten erop. Die koningin krijgt wel duizend kinderen, hoor. Wil jij soms duizend wespen in de tuin?'

Marks mond valt open van verbazing. Wie krijgt er nou duizend kinderen. 'Dan moet ze wel veel namen bedenken, zeg!'

'Nee hoor, ze heten allemaal werkster. En daarna gaat de koningin nog meer eitjes leggen en dan moeten de werksters ervoor zorgen. De wespenkoningin zit alleen maar eieren te leggen, de hele zomer, elke dag.' Eefje neemt een lik van haar ijsje. 'Ik wil niet met mama mee, ik wil dat buurvrouw Smit op ons past, die is heel lief.'

'Dat wil ik ook,' zegt Mark. 'Maar dat mag alleen als we ziek zijn en dat zijn we niet.'

Eefjes ogen beginnen te glimmen. 'Ik weet wat, we doen dat jij viel en toen kon je niet meer lopen.'

Mark vindt het een keigoed plan, dan hoeven ze niet mee. Hij wil meteen naar binnen rennen om mama te vertellen dat hij is gevallen, maar dat mag niet van Eefje.

'Zo is het niet echt. Jij moet op de grond gaan liggen, je kon niet lopen, weet je nog wel, en dan haal ik mama.'

'Jaaa!' Mark weet al hoe het moet. 'Ik deed net of ik huilde.' En hij gaat op de grond liggen.

'HUHUHUHU…'

klinkt het door de tuin.

Eefje schiet in de lach. 'Je lijkt wel een sirene. Zo moet je niet huilen.' Ze doet Mark voor hoe het moet.

'Auauauau mijn knie…'

Mark knikt.

'Toe dan,' zegt Eefje.

'Auauau…' huilt Mark en dan haalt Eefje mama.

'Wat is er gebeurd?' Mama kijkt bezorgd naar Mark die met zijn handen voor zijn ogen in het gras ligt.

'Mijn knie doet zo'n pijn…' huilt Mark.

Mama bekijkt Marks knie. 'Vreemd, ik zie niks.'

'Maar het doet wel heel zeer,' zegt Eefje. 'En hij kan ook niet meer lopen.'

'Nee,' huilt Mark. 'En ook niet in de auto.'

Mama zet Mark overeind. 'Probeer eens te lopen.'
Mark laat zich als een pudding op de grond zakken, alsof er
geen kracht in zijn benen zit.
'Zie je wel,' zegt Eefje. 'Hij kan niet staan.'
'Dat is niet zo mooi,' zegt mama. 'Dan moet ik even de dokter
bellen.'
'De dokter?' Mark springt van schrik overeind en holt weg. 'Ik
wil niet naar de dokter.'
'Hé,' zegt mama. 'Ik geloof dat het alweer een beetje beter met
je gaat.'
Mark wordt rood.
Mama schudt haar hoofd.
'Jullie wilden mij foppen, hè?
Nog een kwartiertje, jongens,
en dan gaan we weg.'

'Stommerd,' zegt Eefje. 'Je moest niet gaan rennen. Nu moeten we weer iets verzinnen.'

'We deden dat jij oorpijn had,' zegt Mark.

Maar dat wil Eefje niet. Ze heeft wel vaker oorpijn en dan denkt mama dat ze buisjes in haar oren moet.

'We waren zogenaamd ziek,' zegt Eefje. 'Alletwee. Als de een het dan per ongeluk verklapt en de ander niet, kunnen we toch thuisblijven.'

'We hadden buikpijn,' zegt Mark.

'Ja, we speelden zogenaamd vogeltje en toen hadden we veel te veel besjes gegeten.' En Eefje gaat in het gras liggen met haar hand op haar buik. 'Auauau… mijn buik.'

'Auauau…' Ze huilen zo hard dat mama het binnen kan horen.

'Wat valt er te huilen?' vraagt mama.

'We hebben heel erge buikpijn,' zegt Eefje. 'We hebben miljoen triljoen besjes gegeten.'

'We waren vogeltjes,' zegt Mark.

'Hè,' zegt mama. 'Wat vervelend nou, net nu we weg moeten.'

'Ik kan niet mee,' zegt Mark. 'Mijn buik doet heel zeer en ik heb ook gespuugd.'

'Gespuugd?' Mama schrikt. 'Waar?'

'Eh…' Mark kijkt zijn zus aan.

'Hij moest bijna spugen,' verzint Eefje gauw. 'En ik ook.'

Mama wrijft over hun buik. 'Probeer eens of jullie kunnen staan.'

Kreunend komen de kinderen overeind. 'Au au au,
ik kan echt niet lopen,' jammeren ze.
Op dat moment vliegt er een wesp de tuin
in. Boef rent ernaartoe en hapt.
'Niet doen!' Eefje en Mark vergeten dat ze
buikpijn hebben en rennen naar Boef toe. 'Je moet
niet naar die wesp happen, dan wordt hij boos.'
'En nu word ik boos,' zegt mama. 'Jullie hebben geen buikpijn, het zijn allemaal verzinsels om niet mee te hoeven. Geen
grapjes meer, ik haal jullie kleren en dan gaan we weg.'
'Ik vind er niks meer aan.' Eefje ploft op de stoel en…
'Auauau!' Ze springt gillend overeind. Met haar hand op haar
bil rent ze door de tuin.

Mark ziet dat er een
wesp wegvliegt. Hij
weet meteen waarom
Eefje huilt en rent naar
binnen. 'Mama kom
gauw, Eefje is gestoken
door een wesp.'
Mama denkt dat Mark
haar voor de mal houdt.
'Hè Mark, ik heb
geen zin meer in
die onzin. Trek je
korte broek aan.'

Maar als Eefje huilend de keuken inkomt en mama echte tranen over haar wangen ziet rollen, schrikt ze.

'Auauau… het doet zo'n pijn.' Eefje laat mama de plek op haar bil zien die steeds roder wordt.

'Kind toch,' zegt mama. 'Wat een pech. Kom maar, ik haal de angel eruit en dan smeer ik er iets op.'

'Het prikt heel erg!' Eefje blijft maar huilen, ook als mama de wespensteek heeft verzorgd.

'Valse wesp!' huilt Eefje. 'Ik deed nog geeneens iets.'

'Niet expres,' zegt mama. 'Maar ik denk dat je boven op de wesp ging zitten en dat de wesp daarvan schrok.'

'Nou en?' Mark is ook boos op de wesp. 'Daarom hoeft hij haar nog niet te steken. Ik schrijf die wespenkoningin een brief en dan zeg ik dat ze geen eieren meer moet leggen. Er komen toch alleen gemene prikkinderen uit.'

Mama neemt Eefje op schoot. 'Straks gaat het zalfje werken en dan verdwijnt de pijn.'

'Ik wil niet in de auto,' huilt Eefje. 'Ik wil naar bed.'

'Je hoeft ook niet mee, ik bel buurvrouw Smit of ze op jullie wil passen.' Mama pakt de telefoon en draait het nummer van de buurvrouw. Gelukkig is de buurvrouw thuis en ze komt meteen naar hen toe.

'Weet je wat helpt?' zegt de buurvrouw als mama weg is. 'Water. We laten het zwembadje vollopen, dan kunnen jullie lekker in het water spelen.'

De buurvrouw heeft gelijk. Eerst doet de steek nog zeer, maar

als ze eenmaal in het water spelen, is Eefje de pijn zo vergeten.
Wat is dat? PLONS, horen ze naast zich. De spetters vliegen in
het rond. Een kletsnat hondenkopje steekt boven het water
uit.
'Boef!' roepen ze blij. 'Boef was de krokodil,' zegt Eefje. 'Die
wou ons opeten.'
'Jaaa!' zegt Mark en ze duiken alletwee onder water.

EEN GEHEIMZINNIG BEEST

'Ik heb vandaag iets heel spannends geleerd,' zegt Eefje als ze uit school komt.

Mark wordt meteen nieuwsgierig. 'Wat dan?'

Eefje wil het vertellen, maar dan heeft ze een idee. 'We deden schooltje en ik was de juf.'

'Ja!' Mark rent met Boef achter zich aan de trap op. 'Wij waren de kinderen.'

Eefje wil nog veel meer kinderen in de klas. Ze zet alle knuffels in een kring. Dan pakt ze het belletje en schudt het heen en weer. 'Tingelingeling, de school gaat in…'

Juf Eefje wacht tot het stil is en dan trekt ze een geheimzinnig gezicht. 'Er bestaat een beest dat zoveel eet dat hij uit zijn velletje knapt en dan wordt hij een ander beest. Rara, wat is dat?'

Mark steekt zijn vinger op. 'Papa, die eet heel veel.'

Eefje schiet in de lach. 'Papa is wel een snoepkont, maar hij knapt niet uit zijn velletje.' Juf Eefje staat op. 'We gaan naar buiten, het beest zoeken. Maar niet de hele klas kan mee, alleen Mark en Boef en Ollie en Flap. De rest van de kinderen mag tekenen.' En de juf legt blaadjes en potloden voor de knuffels klaar.

Mark en Boef staan al met Ollie en Flap bij de deur. Zodra de juf zegt dat het mag, rennen ze de trap af, de tuin in. 'Waar is het beest, juf?'

'Jullie moeten hem zelf zoeken. Hij is dol op brandnetels,' zegt juf Eefje.

Mark kijkt teleurgesteld. 'Er staan geen brandnetels in onze tuin.'

'Nee,' zegt juf Eefje. 'Maar wel bij de vijver.'

Mark aarzelt. Eigenlijk mogen Ollie en Flap niet uit de tuin van mama. Ze is bang dat hun knuffels dan kwijtraken. Maar nu moet het, omdat juf Eefje het zegt.

Met Ollie en Flap glippen ze het hek uit en rennen naar de vijver. Er staan een heleboel planten.

Hoe zien brandnetels er ook alweer uit? Ze weten het niet meer.

'Au!' Mark prikt zich. Er zit een rode plek op zijn been. Als de plek begint te jeuken weten ze dat de plant een brandnetel is.

'Opgepast allemaal!' waarschuwt juf Eefje. 'Anders prikken ze nog in jullie bil.'

Voorzichtig zoeken ze tussen de brandnetels. Als ze het beest niet kunnen vinden, geeft juf Eefje een aanwijzing. 'Hij heeft een heleboel poten.'

'Dan weet ik het al,' zegt Mark. 'Het is een duizendpoot.'

'Mispoes,' zegt juf Eefje.

Mark vindt van alles. Een gekleurd steentje, een stukje glas, maar het beest ziet hij niet. Hij wil de moed al opgeven als juf Eefje naar een brandnetelblad wijst waar allemaal gaatjes in zitten. 'Daar zit dat knabbelkontje. Zien jullie dat, hij heeft allemaal gaatjes in de blaadjes geknabbeld.'

Mark kijkt juf Eefje verontwaardigd aan. Heeft hij daarvoor zo lang gezocht. Dit beest kent hij heel goed. Dat is een rups!

'De rups eet heel veel,' zegt juf Eefje. 'En als zijn buikje vol is, gaat hij uitrusten en dan wordt hij een ander beest. Jullie moeten raden wat voor beest.'

Mark denkt na. 'Een draak?' vraagt hij bang.

'Nee,' zegt juf Eefje. 'Hij is niet eng, juist heel lief.'

'Een zeehondje!' roept Mark blij. Juf Eefje schiet in de lach. 'Hij kan niet zwemmen maar wel vliegen. Zal ik het zeggen? Een rups wordt een… vlinder.'

Mark kan niet geloven dat een rups in een vlinder verandert.

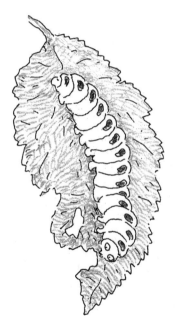

Maar juf Eefje zegt dat het echt waar is. Ze steekt twee vingers in de lucht.

'We gaan een vlinder zoeken, bij het bloemenweitje zijn hele mooie.' En juf Eefje rent ernaartoe.

'Leuk!' Mark en Boef hollen achter haar aan. 'Dan kunnen Ollie en Flap ook zien hoe een vlinder eruitziet.'

Ollie en Flap… Geschrokken blijven ze staan. Ollie en Flap liggen nog bij de brandnetels.

'Vlug!' Ze keren meteen om.

'Hier waren ze.' Eefje wijst naar een brandnetel naast het pad.

'Nee, hier.' Ze zoeken overal langs de vijver, maar Ollie en Flap zijn nergens.

'Misschien heeft iemand ze verstopt,' zegt Eefje. 'Een pestkop.'

Mark schrikt. 'Dan kunnen we ze nooit meer vinden.'

'Maar jij kan het wel.' Eefje aait Boef over haar kop. 'Jij kan Ollie en Flap vinden, jij bent toch onze speurhond.'

'Zoek!' zegt Mark. 'Zoek Ollie en Flap.'

46

Boef snapt er niks van. Ze springt tegen de kinderen op en begint hen te likken.

'Je moet ons niet likken,' zegt Eefje. 'Je moet Ollie en Flap zoeken. Vooruit!' En ze geeft Boef een duw.

De kinderen lopen achter Boef aan. Ineens knijpt Mark in Eefjes hand. Boef ruikt iets. Met haar neus vlak boven de grond loopt ze verder. Aan het eind van het pad verdwijnt ze de struiken in. Ze rent zo hard dat de kinderen haar niet kunnen bijhouden. Vol spanning volgen ze hun speurhond. En dan horen ze Boef blaffen.

'Ze heeft Ollie en Flap gevonden!' Eefje en Mark rennen naar Boef toe.

Woef, woef, woef, klinkt het. Als ze dichterbij komen zien ze waartegen Boef blaft. Niet tegen Flap en ook niet tegen Ollie. Ze blaft tegen een oude kapotte schoen. Teleurgesteld geeft Mark een trap tegen de schoen. 'Zie je wel, Boef kan Ollie en Flap niet vinden. Ze zijn niet verstopt, iemand heeft ze gepikt.' En hij begint te huilen. 'Zonder Ollie kan ik nooit meer slapen… Ollie moet terugkomen. Ollie…'

Eefje kijkt naar haar broertje en dan kan ze zich ook niet meer goedhouden. Wat moeten ze nou? Ze durven niet naar huis. Als mama het hoort, wordt ze vast boos. Maar ze kunnen toch ook niet de hele nacht in het park blijven?

Verdrietig doen ze het tuinhek open en wie zitten daar op de picknicktafel? Ollie en Flap. De kinderen stormen op hun knuffels af.

'Eigenlijk moet ik boos op jullie zijn,' zegt mama. 'Buurvrouw Smit heeft ze gevonden. Ze lagen bij de vijver. Iemand had ze wel kunnen stelen.'

Mark belooft dat hij Ollie nooit meer uit de tuin zal laten. En Flap mag ook niet meer door het hek van Eefje.

'Jullie moeten de buurvrouw maar even bedanken,' zegt mama.

Eefje rent de kamer in en haalt de tekenspullen. 'Flap gaat een heel mooie tekening voor de buurvrouw maken.'

'Dat wil Ollie ook, hè Ollie?' Mark beweegt het olifantenkopje op en neer.

Met hun knuffels op schoot gaan ze aan de picknicktafel zitten.

'Flap gaat een mooie vlinder tekenen,' zegt Eefje.

'Ollie toevallig ook,' zegt Mark.

Eerst tekenen Ollie en Flap een brandnetelblad met een rups erop. Maar dan legt Mark zijn viltstift neer. 'Het kan helemaal niet, Ollie weet niet hoe een vlinder eruitziet.'

Eefje zucht. 'Flap ook niet.'

Ze turen de tuin rond en wie komt eraan gefladderd? Een prachtige vlinder. De vlinder gaat op de vlinderstruik zitten en zuigt met zijn lange tong de nectar eruit. Ollie en Flap hebben geluk, het duurt heel lang. Nu kunnen ze de vlinder heel goed bekijken.

'Klaar!' Met de tekeningen rennen Eefje en Mark naar de buurvrouw.

'Alsjeblieft, van Ollie en Flap, omdat je ze hebt gered.'
De buurvrouw is heel blij met de tekeningen en hangt ze
meteen op. 'Geef dit maar aan Ollie en Flap.' En ze stopt de
kinderen een dropje in hun hand.
'Flap mag geen dropje,' zegt Eefje als ze naar huis lopen. 'Hij is
nog veel te klein, dan kan hij stikken.'
'Ollie is ook veel te klein,' zegt Mark.
Ze kijken achterom en als de buurvrouw niet kijkt, stoppen ze
het dropje gauw in hun eigen mond.

DE BLAFFENDE ZIEKENAUTO

'Eefje, kom gauw.' Mark rent naar binnen. 'Er zit een slak in de tuin en die heeft zijn huisje verloren!'

'Wat zielig!' Eefje legt haar potlood neer. 'Laat zien!'

Mark tilt een bloemblad op. Er zit een bruine glibberige slak onder, zonder huisje.

Eefje gaat op haar hurken naast de slak zitten. 'Wees maar niet verdrietig, hoor, wij vinden je huisje wel.'

Met hun hoofd vlak boven de grond lopen ze door de tuin.

'Wat zoeken jullie?' vraagt mama.

'Een slak is zijn huisje kwijt,' zegt Eefje.

'Dat kan niet. Slakken kunnen hun huisjes niet verliezen, die zitten vast. O, nou snap ik het,' zegt mama als ze de slak ziet.

'Dit is een naaktslak, die heeft geen huis.'

'Ik vind het niks leuk voor die blootslak,' zegt Mark als mama naar binnen is. 'Als hij bang wordt, kan hij niet gauw in zijn huisje kruipen en die andere wel.'

'Kijk!' Eefje wijst naar de schuur. 'Daar zit een huisjesslak.'

'En daar zit er nog een, bij de regenton.' Maar dan schrikt Mark. 'O, zijn huisje is kapot.'

'Ik weet wat,' zegt Eefje als ze het kapotte huisje ziet. 'Wij waren het slakkenziekenhuis en wij maakten alle kapotte slakkenhuisjes weer heel.'

'Jaa! Het ziekenhuis was in de zandbak, goed?' Mark rent ernaartoe.

'Juist niet, slakken willen niet op het droge zand en ook niet in de zon, dan drogen ze uit en gaan dood.' Eefje wijst naar een stukje gras onder de struiken. 'Dat is pas een goed slakkenplekje.'

Mark wil de zieke slak meteen gaan halen, maar dat mag niet van Eefje. Die wil eerst het ziekenhuis in orde maken. 'We maakten echte bedjes van schoenendozen.' Eefje rent naar boven om alle spullen voor het ziekenhuis te halen.

Na een tijdje kijkt Eefje tevreden rond. Het is een echt slakkenziekenhuis geworden. In de bedjes liggen geen matrasjes en dekentjes maar gras en blaadjes. Ze hebben ook pleisters om de kapotte slakkenhuisjes te maken. De slakkendokters hebben hun doktersspullen in de zak van hun witte jas.

'Nou moesten we alle zieke slakken zoeken,' zegt Mark. 'En die brachten we naar het ziekenhuis.'

'Nee hoor,' zegt Eefje. 'Dat doet de dokter niet. Dat doet de ziekenauto.'

'Ja, Boef was de ziekenauto, die bracht de zieke slakken naar het ziekenhuis.' Mark pakt een mandje dat Boef in haar bek moet houden en legt wat gras onderin.

Het is een heel werk om alle zieke slakken te zoeken. Ze kijken onder blaadjes en struiken. Ze komen heel veel slakken tegen, ook baby-slakjes met piepkleine huisjes. Gelukkig zijn die niet kapot.

'Dit is een oud opaatje,' zegt Mark. 'Zijn huisje ziet er heel oud uit en er zit een scheurtje in.'

'Kom maar, opa!' Eefje neemt de zieke slak van Mark over. 'In de ziekenauto met je oude krakhuisje, naast de regentonslak.'

'En deze dikke slak met zijn gebroken huisje moet erachter,' zegt Mark.

Zodra de zieke slakken in het mandje zitten, bellen ze de ziekenauto. Boef komt meteen aangerend. Ze doen het hengsel van het mandje in Boefs bek. TATUTATUTATU… daar gaat de ziekenauto met de slakkenpatiënten.

De slakken zijn bang voor het ziekenhuis. Ze hebben zich allemaal in hun huisje verstopt.
'Zo,' zegt dokter Eefje. 'Jullie moeten meteen in bed. Straks
komt dokter Mark en dan worden jullie geopereerd.'
Terwijl Eefje de slakken in bed legt, knipt Mark de pleisters.
Daarna plakken ze samen de scheurtjes dicht.
'Jullie zijn heel flink geweest,' zegt dokter Eefje. 'Jullie hebben
niet gehuild, daarom krijgen jullie een verrassing. Iets waar
jullie dol op zijn, ogen dicht!'
Mark zet de slakken in het gras en Eefje loopt naar de regenton en vult de gieter met regenwater.
'Hier komt de verrassing, kijk maar.' Eefje houdt de gieter
hoog boven de slakken en laat hem langzaam leeglopen.
Nu zijn de slakken niet meer bang. Alle kopjes en voelsprietjes
komen uit de huisjes. De slakken vinden het heerlijk om zich
nat te laten regenen. De dokters beginnen te zingen.

'Het regent het regent de slakjes worden nat.

Toen kwamen er twee doktertjes die vielen op hun gat…'

'Nu mogen jullie weer in de ziekenauto,' zegt dokter Eefje als de gieter leeg is.

'Jammer.' Mark kijkt naar de slakken die weer door de tuin kruipen. 'Het is juist zo leuk om slakkendokter te zijn.'

'Dan doen we toch dat ik een zieke slak was,' zegt Eefje.

'Hoe kan dat nou? Je hebt geeneens een huis,' zegt Mark.

'O nee?' Eefje rent de schuur in.

Met een doos op haar rug komt ze naar buiten. 'Hoe vind je mijn huis?'

'Mooi.' Mark rent blij naar het ziekenhuis. 'Maar je moest nog wel vallen, anders kon je huis nooit kapot zijn.'

'Ik heb geen zin om te vallen, dank u zeer.' Eefje gaat boven op haar huis zitten. 'Ziezo, ik heb hem ingedeukt. Even de ziekenauto bellen. Ziekenauto, kom gauw, er zit een deuk in mijn huis.'

De ziekenauto hoort de slak niet, ze ligt heerlijk in het zonnetje op een tak te bijten.

Eefje weet wel hoe ze de ziekenauto moet laten komen. 'Boehoef!' roept ze.

De ziekenauto laat haar tak vallen en rent naar slak Eefje toe.

'Hoe moet dat nou?' vraagt slakkendokter Mark. 'Je past nooit met je dikke billen in het mandje.'

Dat vindt slak Eefje geen probleem. Ze doet Boef aan de riem. 'Jij moet me naar het ziekenhuis trekken. TATUTATU-TATU…' roept ze.

Op het moment dat de ziekenauto wil vertrekken, ontdekt ze een bromvlieg.

Woef, woef, woef… Luid blaffend rent de ziekenauto achter de bromvlieg aan. De ziekenauto rent zo hard dat de zieke slak haar huis verliest.

'Hé slak, je hebt geen huis,' zegt de slakkendokter. 'Ik moest het toch maken?'

'Ik heb mijn huis verloren,' lacht slak Eefje.

'O, daar ligt het, ik pak het wel even en dan zet ik hem er weer op.' De slakkendokter staat al op, maar slak Eefje trekt aan zijn jas.

'Dat kan nooit. Als het huis eraf is, kan je het nooit meer vastmaken.'

De dokter heeft al een oplossing. 'Je was een blootslak, die had geen huisje, dat kan ook.'

'Ja, lekker leuk. Ik was een naaktslak, maar dan moest ik wel in mijn blootje, anders is het niet echt.'

De slakkendokter moet lachen als de naaktslak in haar blote billen door de tuin danst. 'Ik was de blootdokter, ik moest ook in mijn blootje dansen.' En dokter Mark trekt ook zijn kleren uit.

'Nu naar het ziekenhuis,' zegt hij als ze uitgedanst zijn. 'Even kijken wat u hebt.'

Slak Eefje gaat in het gras liggen. De dokter onderzoekt haar. 'Ik zie het al, u hebt een lekker regenbuitje nodig.' Hij vult de

gieter in de regenton. 'Ogen dicht!' En hij giet het water over slak Eefje heen.

'Koud!' Slak Eefje springt van schrik overeind.

'Slakken houden juist van regen,' zegt de dokter.

'En slakkendokters helemaal.' Eefje grist de gieter uit de dokters hand en giet de dokter nat.

Het is wel een gek ziekenhuis. De dokter en de slak rennen gillend door de zaal en de ziekenauto rent blaffend achter hen aan.

'Wat is dit?' Mama komt de tuin in. 'Moeten jullie ziek worden, zo warm is het toch niet.'

'We waren blootslakken,' zegt Mark.

'Kom maar gauw binnen.' Mama zoekt hun kleren bij elkaar.

'Nou zijn we weer huisjesslakken,' zegt Eefje als ze binnen zijn. 'Dit was ons huis.'

'Maar het zat niet op ons rug,' zegt Mark. 'En het is ook niet kapot.'

'In dit huis kunnen een heleboel slakken.' Eefje somt ze één voor één op. 'Eefje slak, Mark slak, papa slak, mama slak.'

'Moet je zien wat een groot huis dit is,' zegt Mark als Boef naar binnen huppelt. 'De ziekenauto past er ook nog in.'

EEN GEKLEURD WEB

Het is woensdagmiddag. Eefje en Mark doen met Boef kunst-
jes in de tuin. Ze hebben een touw aan de boom gebonden.
Mark houdt het vast en Boef moet eroverheen springen.
Ineens schrikken ze op van geritsel. Er loopt een jongen langs
hun tuin. Hij slaat met een tak in de struiken. Als Eefje en
Mark dichterbij komen, zien ze wat de jongen doet. Hij maakt
een spinnenweb kapot. De spin rent angstig weg.
'Dat moet je niet doen,' zegt Eefje. 'Dat is de spin zijn huis.'
'Ja,' zegt Mark. 'Zou jij het soms leuk vinden als we je huis in
elkaar slaan?'
De jongen trekt zich niks van hen aan. Hij loopt lachend
verder en vernielt nog een spinnenweb. 'Negen…' telt hij
hardop.
Eefje en Mark schrikken. Heeft die jongen al negen spinnenwebben kapotgemaakt? Ze denken alletwee aan het prachtige
grote web bij de schuur. Stel je voor dat hij dat ook in elkaar
heeft geslagen.
'Stomme dierenbeul!' roept Mark nog en dan rennen ze naar de
schuur. Eefje is er het eerst. 'Ons web zit er nog!' roept ze blij.

Ze bekijken de spin van dichtbij. 'Mooi is hij, hè?' Eefje telt de poten. Het zijn er acht.

'Onze spin is een rijke kakker,' zegt Mark. 'Hij heeft een heel groot huis gekocht. Dat kost wel miljoen gulden.'

Eefje schiet in de lach. 'Spinnen kopen hun huis niet, dat maken ze zelf. Uit hun kontje komen draden en daarmee spinnen ze een web.'

'Het is wel een slaapkop,' zegt Mark.

'Nee hoor,' zegt Eefje. 'Hij slaapt niet. Hij wacht tot er een vlieg of een mug in zijn web komt.'

'Hoe weet jij dat nou weer?' vraagt Mark.

Eefje begint te zingen.

> 'De spin wiedewin,
> de spin wiedewin,
> die weeft een web,
> die heeft een web.
> De spin wiedewin,
> de spin wiedewin,
> die vangt daar mugjes en vliegjes in.'

'Dat lukt nooit,' zegt Mark. 'Die vliegjes en mugjes zijn heus niet gek. Als ze de spin zien, vliegen ze weg.'

'Dat kan niet.' Eefje wijst naar de draden van het web. 'Die

59

zijn heel kleverig. Als de vlieg in het web zit, plakt-ie vast. Dat heeft juf zelf verteld.'

'Hoe kan dat nou?' vraagt Mark. 'Dan plakt de spin zelf toch ook vast als hij door zijn web loopt.'

'Dat is juist het goeie,' zegt Eefje. 'Niet alle draden zijn kleverig, dat weet de vlieg niet, maar de spin wel. Handig, hè?'

'Zullen we tellen hoeveel spinnenwebben wij hebben?' Eefje begint al te tellen. 'Een... twee... drie...'

Ineens ziet ze een spin onder de struiken zitten. 'Dag spinnenkopje, waar is jouw web?'

De spin rent van schrik weg. Hij gaat achter de boom zitten en houdt zich muisstil.

'We doen je niks,' zegt Mark. 'We willen alleen je huis zien.'

Zodra ze dichterbij komen, verstopt de spin zich onder de picknicktafel.

'Waarom gaat hij nou niet naar huis?' Eefje begrijpt er niks van.

'Ik weet het al,' zegt Mark. 'Dat gemene joch heeft zijn huis kapotgemaakt.'

Eefje kijkt naar de spin. 'Als je geen huis hebt, kun je ook geen vliegjes en mugjes vangen en dan ga je dood.'

'We gaan een huis voor hem maken,' zegt Mark.

'Jaaa!' Ze rennen naar binnen en halen een klosje garen uit de naaidoos.

'Hier was zijn huis.' Eefje bindt het begin van de draad aan een tak. Heel handig winden ze het klosje om de takken heen.

'Ik weet wat,' zegt Mark. 'We maken een gekleurd web, dan heeft hij pas een mooi huis.'

Terwijl Eefje het uiteinde van de draad vastknoopt, haalt Mark nog meer klosjes garen.

'Ik neem rood,' zegt Eefje als Mark de klosjes in het gras legt.

'Ik blauw,' zegt Mark.

Ze zoeken telkens een ander kleurtje uit en als ze klaar zijn, kijken ze met een tevreden gezicht naar het web. 'Je boft wel, spinnenkopje,' zegt Eefje. 'Jij hebt het mooiste web van de wereld.'

'Ik mag hem erin zetten, want het was mijn idee.' Mark zet de spin op zijn hand en houdt zijn andere hand erboven, heel losjes zodat hij de spin geen pijn doet. 'Gefeliciteerd met je nieuwe huis!' En hij zet de spin in het web.

Maar de spin laat zich uit het web vallen en rent weg.

De kinderen kijken verbaasd naar de spin. Nu hebben ze zo'n mooi web gemaakt en dan wil de spin er niet in wonen.

'Suffie,' zegt Eefje. 'Als je geen huis hebt, ga je dood.'

'Dat vind ik zielig. Ik wil niet dat hij doodgaat.' Mark rent naar binnen om mama te halen.

'Daar zit hij,' zegt Eefje als Mark met mama naar buiten komt. Mama bekijkt de spin. 'Deze spin woont niet in een web. Er zijn nog veel meer spinnen die niet in een web wonen.'

'Maar hoe moet hij dan vliegen en mugjes vangen?' vraagt Eefje.

'Hij houdt zich heel stil,' vertelt mama, 'tot hij een vlieg of een mug ziet. Dan sluipt hij ernaartoe en als hij vlakbij is, neemt hij een spurt en vangt hem.'

'En dan peuzelt hij de vlieg lekker op,' zegt Eefje.

Mama schudt haar hoofd. 'Niet altijd. Soms bewaart hij de vlieg tot hij een vrouwtjesspin tegenkomt waar hij verliefd op is. Dan geeft hij haar de vlieg als cadeautje, anders mag hij niet met haar vrijen. Als hij dan dichterbij komt, wordt ze boos op hem. En weten jullie wat die stoute vrouwtjesspin dan doet?'

'Dan geeft ze hem een klap,' zegt Eefje.

Mama schudt haar hoofd. 'Ze doet iets veel ergers.'

Mark denkt dat hij het al weet. 'Dan geeft ze hem een keiharde schop.'

Weer schudt mama haar hoofd. Doet ze nog iets gemeners? Eefje en Mark kunnen het bijna niet geloven.

'Dan eet ze het mannetje op,' zegt mama.

'Eet ze hem op?' Eefje en Mark kijken mama met grote ogen aan, maar dan moeten ze lachen. 'Wel een gek vrouwtje, zeg, die haar man opeet. Ik zie al dat jij papa opeet.'

'Die lijkt me een beetje te taai.' Mama loopt lachend naar binnen.

'Wat moeten we nou met ons web?' vraagt Eefje.

'We doen dat ik een spin was,' zegt Mark. 'Ik woonde in het

web. En ik zag een heel lief vrouwtje. Maar toen moest ik eerst een vlieg vangen, anders at ze me op.'

'Ik was de vlieg,' zegt Eefje. 'Jij moest mij vangen.'

'Ja,' zegt Mark. 'En ik was verliefd op Boef, want Boef was een vrouwtjesspin.'

Spin Mark gaat bij zijn web staan. Hij kijkt naar spin Boef die op haar rug in het zonnetje ligt te rollen. 'O, wat een lief vrouwtje zie ik daar. Ik wil wel met haar trouwen. Maar dan moet ik eerst een vlieg vangen, anders vreet ze me op.' Spin Mark tuurt door de tuin. 'Aha, daar zie ik een lekkere dikke strontvlieg.'

'Ik was geen strontvlieg,' zegt Eefje boos. 'En ik was ook niet dik.'

'Goed dan.' Mark begint opnieuw. 'Aha, daar zie ik een vlieg met dunne witte spillepoten…'

Je hebt zelf witte spillepoten, denkt Eefje, maar ze speelt toch door. 'Pak me dan als je me krijgen kan!' En ze rent door de tuin.

'Ik ga je pakken.' Spin Mark holt met enge grijparmen achter de vlieg aan.

'Ga weg, gemene stinkspin!' roept vlieg Eefje. 'Je mag me niet pakken.' En ze klimt in de boom. Spin Mark klimt achter de vlieg aan. Nu klimt vlieg Eefje nog hoger. Pas als ze echt niet meer hoger kan, gaat ze op de dikke tak zitten. Nu kan de spin haar niet meer pakken, dat weet ze. De benen van spin Mark zijn niet lang genoeg.

'Lekker puh, je kan me toch niet pakken!' plaagt de vlieg.
'Nou en, ik krijg je heus wel.' Spin Mark gaat onder de boom
zitten wachten.
Na een tijdje wordt spin Mark ongeduldig. 'Zo vind ik er niks
meer aan. Nu moet je naar beneden komen.'

Vlieg Eefje wil uit de boom klimmen en kijkt naar beneden
om haar voet op een tak te zetten. Maar de tak zit veel te laag,
dat durft ze niet. Hoe moet ze nou uit de boom komen? De
vlieg begint te huilen. 'Je moet mama halen…'
Spin Mark krijgt medelijden met de vlieg en wil haar redden.
'O-o,' zegt mama als ze Eefje in de boom ziet. 'Hoe vaak moet

ik nog zeggen dat je niet zo hoog mag klimmen. Als je eruit valt is je arm of je been gebroken.'

'Ik ben een vlieg, hoor,' zegt Eefje. 'Moet die enge spin me soms pakken?' En ze wijst naar Mark.

Het kan mama niks schelen dat Eefje een vlieg is. 'Moet je zien hoe hoog je zit, ik kan er niet eens bij.' Mama zet een ladder tegen de boom en tilt Eefje eruit.

'Brrr... er kriebelt iets in mijn nek,' zegt Eefje als mama haar op de grond zet.

Mama voelt in Eefjes nek en er komen pretlichtjes in haar ogen. 'Je raadt nooit wat er zo kriebelt.' Mama laat Eefje een spinnetje zien. 'Dat heb je ervan, je bent ook zo'n lekker vliegje. Hij wou je opeten.' Ze zet het spinnetje lachend in het gras.

'Nee, ik moest deze vlieg vangen.' Mark grijpt Eefje vast. 'Zo, gevangen. Ik geef jou lekker aan mijn lieve vrouwtjesspin.'

Dat is toevallig, spin Boef komt er al aan. Ze is wel een rare spin. De raarste spin van de wereld. Ze eet vlieg Eefje niet op. Ze wil iets heel anders van vlieg Eefje want Boef legt haar riem voor Eefje neer.

'Ze wil dat je haar uitlaat,' zegt mama.

Nu moeten Mark en Eefje lachen. Welke spin wil nou door een vlieg uitgelaten worden.

SNOETJE DE EGELREDDER

Bij Eefje, Mark en Boef thuis is iets heel spannends. Er zit een dief in de tuin, dat weten ze zeker. Omdat Boef telkens Snoetjes bakje leegat, heeft mama het buiten gezet. Boef kan er nu niet meer bij, maar de dief blijkbaar wel. Al vijf dagen achter elkaar is Snoetjes bakje al bijna leeg als hij komt eten. Eefje en Mark denken dat ze weten wie de dief is. Tijger, de kat van de hoek die altijd ruzie met Snoetje maakt. Een keer kwam Snoetje met een scheur in zijn oor thuis, dat had Tijger ook gedaan. En ze denken dat Tijger nu zo boos op Snoetje is, dat hij zijn eten pikt.

Mama heeft geen medelijden met Snoetje. 'Dan moet hij maar komen als ik roep.'

Eefje en Mark denken er heel anders over. Ze vinden het gemeen van Tijger en ze willen hem betrappen.

Zodra mama Snoetjes bakje buiten zet, sluipen ze met Boef de tuin in. Het begint al te schemeren, dat komt doordat het bijna winter is en dan wordt het heel snel donker. Ze verstoppen zich achter de struiken zodat Tijger hen niet kan zien.

'We moeten heel stil zijn,' fluistert Eefje. 'En als Tijger eraan komt, springen we tevoorschijn en maken hem aan het schrikken.'

Mark weet nog niet zo net of hun plan lukt. 'Tijger is heus niet bang voor ons.'

'Maar wel voor Boef,' grinnikt Eefje.

En dat is zo. Toen Tijger laatst in de tuin zat, werd Boef heel kwaad. Luid blaffend rende ze achter hem aan. Tijger klom van angst in de boom. Pas toen mama Boef binnen riep, kwam Tijger eruit.

'Ssst... ik hoor wat,' fluistert Eefje.

Nu hoort Mark het ook. Bij het hek klinkt geritsel. Dat moet de dief zijn. Het geritsel komt steeds dichterbij. Ineens vinden ze het een beetje eng. Terwijl ze door de struiken gluren, knijpen ze in elkaars hand. Dan valt hun mond open van

verbazing. Het is niet Tijger die naar het bakje van Snoetje loopt, het is een egel…

'Wat lief!' Eefje en Mark zijn meteen niet meer boos op de dief. Ze zijn juist heel blij dat er een egel in hun tuin loopt. Maar Boef is het er helemaal niet mee eens. Ze schiet achter de struiken vandaan, stuift op de egel af en begint woest te blaffen. Haar haren staan recht overeind. De egel schrikt heel erg en rolt zich op. Als Eefje en Mark dichterbij komen, ligt er een stekelige bal naast het bakje van Snoetje.

Woef woef woef! Boef gaat zo tekeer dat mama naar buiten komt.

'We weten al wie de dief is.' Eefje wijst naar de opgerolde egel. Mama pakt Boef bij haar halsband. 'Dat beestje is doodsbang voor jou. Vooruit, ga jij maar even naar binnen.' Ze duwt Boef de keuken in en doet de deur dicht.

Een poosje zitten ze met zijn drietjes bij de egel. Ze praten heel zachtjes tegen hem en dan… komt het kopje met de ronde kraaloogjes tevoorschijn.

'Hoe kan dat nou?' vraagt Eefje. 'Alle egeltjes slapen toch? Pas in de lente worden ze wakker.'

Mark weet al wat er aan de hand is. 'Het egeltje slaapwandelt. Dat kan echt. Ik heb ook wel eens geslaapwandeld, hè mam?' Mama knikt. 'Maar egeltjes slaapwandelen niet. Het is bijna winter. Alleen egels die heel erge honger hebben zijn nog wakker. Met een leeg buikje kunnen ze niet in slaap vallen. Hij moest nog een beetje aansterken, anders overleeft hij zijn winterslaap niet. Ja egel, je had geluk dat Snoetjes eten buiten stond en dat hij zo'n treuzelkont is.'

'Snoetje is helemaal geen treuzelkont,' zegt Eefje. 'Hij laat zijn bakje expres staan voor dit zielige egeltje.'

Dat denkt Mark ook. 'Snoetje is de liefste poes van de wereld. Hij wilde het egeltje redden.'

'Arm egeltje,' zegt mama. 'Had je zo'n honger?'

'Wij gaan voor jou zorgen, hoor egel,' zegt Eefje. 'We geven je elke dag eten.'

'Dat is een goed idee,' zegt mama. 'We maken in de schuur een lekker warm holletje voor hem en dan geven we hem net zo lang te eten tot hij in slaap valt.'

'Hoe lang duurt dat?' vraagt Mark.

'Ik denk niet lang meer.' Mama bekijkt de egel. 'Hij ziet er niet erg mager uit. Hij heeft natuurlijk al de hele week uit Snoetjes bakje gepikt.'

'Nou ga ik een holletje voor hem maken,' zegt Mark.

'Ik ook.' Ze rennen naar de schuur.

'Hier moet hij in.' Eefje pakt een lege kist die in een hoek van de schuur staat.

'Ik haal het poppenmatrasje,' zegt Mark. 'En het dekbedje.'

Mama schiet in de lach. 'Egels slapen niet onder een dekbed, die slapen onder een berg bladeren. We vullen de kist met zaagsel, dat is lekker warm.'

Als het holletje klaar is, willen ze de egel erin zetten. Ze kijken in de tuin, maar hij zit er niet meer.

'Hij kan niet ver zijn,' zegt mama. 'Kijk maar goed, ook onder
de struiken.'
Eefje en Mark zoeken de hele tuin af, maar ze kunnen de egel
nergens vinden. Mark moet bijna huilen. 'Nu zijn we dat lieve
egeltje kwijt en dan gaat hij dood.'
'Nee hoor,' zegt mama. 'Als hij honger heeft, komt hij morgen
weer uit Snoetjes bakje snoepen, let maar op.'
De kinderen gaan naar binnen. Ze moeten de hele tijd aan
hun egel denken. Hoe kan hij nu weg zijn? Vlak voor het eten
willen ze nog een keer gaan zoeken. Als ze de deur opendoen,
botsen ze tegen Joris op. 'Jullie moeten meekomen, er zit iets
heel leuks in mijn tuin.'

Dat moeten ze zien. Ze rennen achter Joris aan.

'Hier is het,' fluistert Joris. 'Jullie moeten heel stil zijn.' Hij tilt een bergje bladeren op en… daar ligt hun egel. Hij kijkt niet bang, de ronde kraaloogjes zijn dicht, hij slaapt.

'Dat is onze egel.' Ze vertellen Joris over Snoetjes bakje dat de hele week leeg was.

'Ga maar lekker slapen egeltje,' zeggen Eefje en Mark. Ze leggen nog wat bladeren over hem heen zodat hij het van de winter niet koud krijgt.

Eefje en Mark zijn heel blij voor de egel dat hij nu lekker slaapt. Maar ze vinden het ook jammer dat ze hem nu heel lang niet meer zien.

'Ik vind het wel stom van het holletje,' zegt Eefje als ze naar huis lopen.

'Ik ook,' zegt Mark. 'We hebben het helemaal voor niks gemaakt.'

Maar is dat wel zo? Als ze de schuur ingaan, is de kist helemaal niet leeg. Boef ligt er heerlijk in te slapen.

Eefje schiet in de lach. 'Ga je soms een winterslaap houden, Boef?'

'Dag Boef,' zegt Mark. 'Slaap maar lekker. In de lente maken we je weer wakker.'

Maar dat vindt Boef wel erg lang. Zodra de kinderen weglopen, springt ze uit de kist en rent huppelend achter hen aan.

HET VLINDERMONSTER

In de tuin van Mark, Eefje en Boef is alles van zijn plaats. De regenton staat op zijn kop, de tuinstoelen zijn op elkaar gestapeld en het zwembadje ligt opgerold op de picknicktafel. Het lijkt wel of ze gaan verhuizen, maar dat is niet zo. Het is bijna winter, daarom gaan ze de tuin opruimen. Papa heeft de regenton laten leeglopen. Hij is bang dat het water in de kou bevriest en dat de regenton dan uit elkaar knapt. Mama is plantenbakken aan het boenen, want die moeten wel schoon zijn als ze de schuur in gaan.

Mark en Eefje hebben het ook heel druk. Die moeten alle bladeren die op het gras liggen aanharken, zodat papa het gras kan maaien.

Boef helpt ook mee, maar ze loopt hen steeds voor de voeten. 'Wil je soms ook geharkt worden, Boef?' vraagt Eefje. En ze gaat met de bladhark door Boefs vacht. 'Zo, nou ben je weer mooi voor de winter.'

'Klaar!' Ze kijken tevreden naar het gras. Er ligt niet één blaadje meer op. Ze willen de berg bladeren in een vuilniszak stoppen, maar dat is niet de bedoeling.

'Jullie moeten de bladeren over de planten leggen,' zegt
mama. 'Dan hebben die van de winter een lekker warm
dekentje, net als de kevers en de torretjes en de egels.'
'Boef moet ook een lekker warm dekentje,' zegt Mark.

'Ja,' lacht Eefje. Ze leggen een bergje bladeren op Boefs kop en
op haar rug. Boef rent door de tuin. Onderweg verliest ze de
bladeren. Het gras ligt vol. Nu kunnen ze weer opnieuw
beginnen, maar dat vinden Eefje en Mark niet erg. Het is toch
een leuk werkje.

'De mieren verstoppen zich niet onder de bladeren,' zegt Mark. 'Die slapen in hun nest onder de grond.'

'En de vlinders ook niet. Kom maar eens kijken.' Mama neemt hen mee naar de schuur. In een spleet tussen het hout zit een vlinder. 'Die blijft hier de hele winter,' zegt mama. 'Pas in de lente wordt hij weer wakker.' Mama wil nog meer vertellen, maar ze kunnen haar niet verstaan. Papa is het gras aan het maaien. Boef vindt het maar een raar ding. Ze rent eromheen en begint er woest tegen te blaffen.

'Ze denkt dat de maaimachine een monster is,' lacht Eefje.

'Nu hoef je niet meer boos te zijn, Boef,' zegt papa als hij klaar is met maaien. 'Het monster gaat weer in de schuur.'

Boef is blij dat het monster weg is. Ze rolt heerlijk over het gras. Als ze overeind springt moeten de kinderen lachen. Ze zit vol grassprieten. Haar rug, haar buik, haar poten, de grassprieten hangen zelfs aan haar staart.

'Nu hebben we een groene hond,' lacht Mark.

'Ze was geen hond,' zegt Eefje. 'Ze was het gevaarlijke groene grasmonster.'

'Ja, en ze was heel eng. Ze wou ons opeten.' Mark vindt het een spannend spel. 'Groen grasmonster… groen grasmonster!' roepen ze. 'Pak ons dan.'

Zodra Boef eraan komt, rennen ze gillend weg. 'Help, het groene grasmonster komt eraan!'

Mark rent over het gras. Om Boef te ontduiken maakt hij een heel scherpe bocht en… boem, daar ligt Mark, op de grond.

'Help!' Eefje struikelt over haar broer. Het gevaarlijke groene grasmonster duikt erbovenop en begint hen te likken. Met z'n drietjes rollen ze door het gras. En dan zijn Mark en Eefje ook helemaal groen, net als Boef.

'Wij waren drie gevaarlijke groene grasmonsters,' lacht Eefje.

'Willen die grasmonsters mij even helpen?' Mama duwt hen een paar lege potten in de hand. 'Zet maar in de schuur.'

Ze hebben het wel druk. Doordat papa gemaaid heeft, ligt het gras vol sprietjes die ze moeten aanharken.

'Zo jongens,' zegt papa als het gras is opgeruimd. 'We zijn klaar. De winter kan beginnen.' En hij zet de voedertafel in de tuin. 'Ik heb nog één werkje voor jullie.'

'Nee, hè?' Eefje en Mark doen of ze flauwvallen. 'We hebben geen zin meer en Boef ook niet.'

'Het is wel een heel lekker werkje,' zegt papa. 'Ik ga een appel-taart bakken en jullie moeten me helpen met opeten.'

Dat willen Eefje en Mark wel. Ze rennen naar de deur.

'Ho ho,' zegt papa. 'Ik wil geen grasmonsters in huis. Kloppen jullie je kleren maar even af.'

De appeltaart staat in de oven, het ruikt heerlijk in huis. Eefje en Mark en Boef staan voor het raam. Ze kijken naar de opge-ruimde tuin. Ineens begint Boef te grommen.

'Tegen wie grom je nou?' vraagt Eefje. 'Alle dieren slapen, of ben je soms boos op het roodborstje dat op de voedertafel zit?'

76

Boef blijft maar grommen. Ze turen de tuin door en dan
ontdekken ze waarom Boef gromt. Bij de schuur staat een
beest. Een heel eng beest dat ze nog nooit hebben gezien.
Ze zien geen staart en ook geen poten, maar wel een groot lijf
met een griezelige kop erop.
Mark kijkt Eefje aan. 'Het is een monster…' fluistert hij
geschrokken.

Eefje knikt. 'Maar wat moet dat monster bij de schuur?' Eefje denkt na en dan weet ze het. 'Het is een vlindermonster, hij wil de vlinder doodmaken.'

'Wat gemeen! We moeten de vlinder redden,' zegt Mark.

Dat vindt Eefje ook, maar hoe? 'Als we de tuin ingaan, grijpt hij ons en dan eet hij ons op.'

Mark en Eefje kijken angstig naar het monster. Het lijkt wel of het steeds enger wordt. Eefje knijpt haar ogen dicht. Ze telt tot tien en dan weet ze hoe ze het monster moeten verjagen. 'We waren spoken…'

'Jaaa!' Ze rennen de trap op naar de verkleedkist, halen hun spokenpak eruit en trekken het aan.

'We moeten griezelig wapperen met onze spokenarmen. Zo.' Eefje doet het voor en maakt er een eng geluid bij.

'HOEIHOEIHOEI…' doet Mark haar na. Als het monster daar niet bang van wordt?

In hun spokenpak sluipen ze naar beneden, maar onder aan de trap blijven ze staan. 'Ik weet niet of ik het wel durf,' zegt spook Mark.

Spook Eefje zucht diep. 'Ik ook niet, maar we zullen wel moeten. Anders eet dat monster onze lieve vlinder op.'

Voor de tuindeur halen ze diep adem. 'Ik tel tot drie en dan gaan we.' Eefjes stem bibbert. 'Een… twee…'

Bij drie schrikken ze. Papa loopt zomaar de tuin in en stapt regelrecht op het monster af. Ze rennen naar buiten. 'Papa, kijk uit!' Maar het is al te laat. Papa bukt zich. Als dat gevaarlijke monster maar niet in papa's hand bijt…

Eefje en Mark houden hun adem in. Ze zien hoe papa zijn hand naar het monster uitsteekt en het optilt.

'Ziezo,' horen ze papa zeggen. 'Jou was ik kwijt.'

De spoken kunnen hun ogen niet geloven. Het is helemaal geen monster dat papa in zijn armen houdt, maar het kussen van de tuinstoel. Hoe konden ze zo dom zijn. Stomverbaasd kijken ze papa na. Toch hebben ze hun spokenpak niet voor niks aangetrokken.

'De appeltaart staat op tafel!' roept papa.

'HOEIHOEIHOEI…' De spoken fladderen met Boef achter zich aan de keuken in.

'Help, een spook!' gilt papa. 'Kom gauw!' En hij trekt mama
mee de keuken uit.
De spoken slaan van plezier de armen om elkaar heen.
'Hahaha… nou is de appeltaart helemaal voor ons.' Maar dat
vinden ze toch een beetje zielig.
'Kom maar!' roepen ze. 'Wij zijn het, Eefje en Mark.'
En met z'n vieren smikkelen ze de appeltaart op.